花とゆめCOMICS

スキップ・ビート!

第19巻

仲村佳樹

目次

スキップ・ビート！

スキップ・ビート！
ACT.109 そして、動《うご》き出《だ》したもの

はいっ
先生《せんせい》!!
ん?
なんだ…?
怖い顔して
あの…っ
役作《やくづく》りの事《こと》なのですが………!!
ん?。
ああ どうした?

あの…
私《わたし》…
途中《とちゅう》から 始《はじ》め こうしようって 思《おも》ってた久遠少年《くおんしょうねん》の イメージから離《はな》れて いってるって
自分《じぶん》で感《かん》じて たのですが…
ほ…
本当《ほんとう》にちゃんと 演《や》れてたん ですか…？
その…
先生《せんせい》の記憶《きおく》の中《なか》の 息子《むすこ》さんと… 違《ちが》ってたりして ませんでした…？
……………
…お前《まえ》は わたしが言《い》った 事《こと》をちゃんと 覚《おぼ》えてないのか ……？
え…？
わたしは何《なに》も わたしの息子《むすこ》を 再現《さいげん》しろとは 言《い》わなかった だろ

『お前《まえ》なりに創《つく》り上《あ》げて来《こ》い』と言《い》ったはずだ
…あ…
わたしの息子《むすこ》
クオンだぞ
お前《まえ》が思《おも》う
それでお前《まえ》はお前《まえ》が思《おも》うままのクオンを演《や》ったんだろ
…は…
…はい…
しかし わたしは

『わたしの息子《むすこ》はそうじゃない』と思《おも》う事《こと》は決《けっ》してなかった
それはつまり『役《やく》』の設定《せってい》を生《い》かしつつお前《まえ》なりの役作《やくづく》りが成功《せいこう》してるという事《こと》だ
…
…はぁ…
しょぼん
…なんだ その反応《はんのう》は…
ずいぶん嬉しくなさそうだなおい
成功《せいこう》してるって言《い》ってるのに
は…
あ…いえ…

その…
決《けっ》してそんな事《こと》は…
しゅん…
…嬉《うれ》しく…
…ない訳《わけ》では…
ないのですが
……
…しょうがない奴《やつ》だな………
プルルル〜
プルルル〜
お?
すまないな話《はなし》の途中《とちゅう》で
あ…
いえ…
プルルル〜
プルルル〜
チャ
社長《ボス》
はい
おお
俺《おれ》だ

え!?
…席《せき》…
外《はず》した方《ほう》がいいかな…
そ…
本当《ほんとう》に…
彼《かれ》が…!?
…ト
スン
し――――ん

――わかった
では 今夜《こんや》… 11時《じ》に社長《ボス》の 自宅《じたく》で……
…いや…
…それにしても 驚《おどろ》いたよ…

まさか
そんな方向《ほうこう》から予定通《よていどお》りの展開《てんかい》に事《こと》が運《はこ》ぶと思《おも》わなかったから…
そうか？
俺《おれ》はこういう事《こと》になるんじゃないかと思《おも》ってたがな
彼女《かのじょ》が『15・6歳《さい》のアメリカ人《じん》の男《おとこ》の子《こ》が着《き》ていそうな服《ふく》』をLME《うち》の事務所《じむしょ》に借《か》りに来《き》た時《とき》
はは
怖《こわ》いなぁ…まるでわたしと彼《かれ》がはち合《あ》わせるの知《し》ってたみたいに
否定《ひてい》はせんな
きっぱり
俺《おれ》は カンと運《うん》の良《よ》さだけで ここまで生《い》きて来《き》た男《おとこ》だからな
ふふん
子供の頃からヤマ勘だけで成績トップ
…怖《こわ》いな…これ謙遜《けんそん》じゃないってわかるから…
良かったよ… 社長《ボス》がゆかいな愛の伝道者で…
そうでなければ今頃日本はハチャメチャに
しかし お前《まえ》 予定通《よていどお》り向《む》こうから お前《まえ》に会《あ》わせろと言《い》っては来《き》たが そう喜《よろこ》んでばかりはいられんぞ
アイツ
声《こえ》に全《まった》く抑揚《よくよう》がなかったから

お前《まえ》にとっちゃ予想以上《よそういじょう》の怒《おこ》りぶりと見《み》ていいぞ……?
アレは
…わかってるよ…
覚悟《かくご》はしてる
でもそれでも良《よ》かったと思《おも》ってるんだ
当初《とうしょ》の『嫌味《いやみ》な男《おとこ》』の線《せん》で彼女《かのじょ》を困《こま》らせるのが困難《こんなん》になったから
…そんなもん
お前《まえ》が本性《ほんしょう》晒《さら》して演技《えんぎ》指導《しどう》なんぞしてやるからだ
この暴走フェミニストめが!!
結果的《けっかてき》にうまくアイツが食《く》いついて来《き》たから良《よ》かったものを

うっかりお前《まえ》のせいで作戦自体《さくせんじたい》がポシャる所《ところ》だ
失敗《しっぱい》して一番《いちばん》困《こま》るの お前《まえ》だろうが
悪《わる》かった…
と心《こころ》から思《おも》ってはいるが…
社長《ボス》…
何《なん》だ
…申《もう》し訳《わけ》ない…
くす…
…ああ…
そこにダイヤモンドの原石《げんせき》があったら
磨《みが》いてみたくなるのは
人《ひと》としての性《さが》だろう?

………
に……
…まぁ…
気持《きも》ちはわかるが………?
俺も磨くの大好きだし。つうか鉱山からスゲーのを掘り出す事から大好きだからな。
だろう?
わくわくするよなっ
…やっぱり
あの娘《こ》から
お前《まえ》も何《なに》か感《かん》じたか…?
ぎゅー…

…あの娘《こ》は
『ほんの一握《ひとにぎ》り』と言《い》われる役者《やくしゃ》になれるはずの人間《にんげん》だ
ある欠点《けってん》さえ
克服《こくふく》すればね——…

……
……ふあぁ……
ぐしょぼ…
!!!!
だから……!!!
沈鬱
絶望感すら漂う空気
どうしてそこでしょげるんだ!!
お前は!!
その欠点《けってん》が克服《こくふく》できたら間違《まちが》いなく大《おお》きく成長《せいちょう》するって言《い》ってるのに!!
何故ますますテンションが下がる!!
上達《スキルアップ》したいんだろう!!
……
…ふあい…
『…ふあい』じゃない!!
なんだそのだらしのない返事は!!
『はい!!』と言《い》え!!
…はい…

ったくもう……
とにかくお前《まえ》がその欠点《けってん》を克服《こくふく》するにはひたすら芝居《しばい》に出《で》る事《こと》だ
どんな役《やく》だろうが
……
演《や》る前《まえ》から好《す》き嫌《きら》い言《い》わずにな
わかったか?
…ほわ～～～～～～い…
……っ
ぐぬぬぬぬぬ
はァァァァ
破壊級デコピン
はい!!
ビュッッ
了解《ラジャ》
先生《せんせい》!!

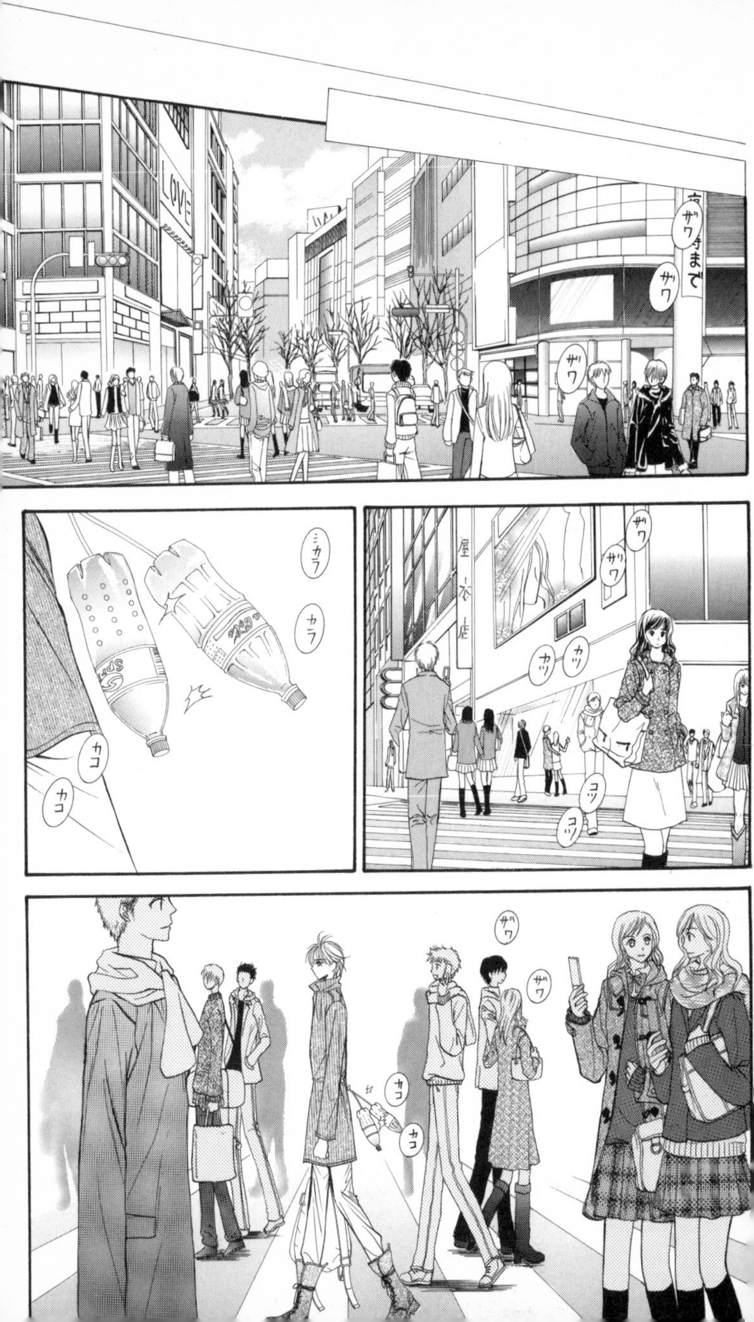
ザワ
ザワ
ザワ
ザワ
ザワ
カツ
カツ
コツ
コツ
カラ
カラ
カコ
カコ
ザワ
ザワ
カコ
カコ

お前《まえ》は
──ちゃんと役作《やくづく》りのコツを知《し》っている
本物《ほんもの》の役者《やくしゃ》になるためにお前《まえ》に一番《いちばん》必要《ひつよう》なのは
〝芝居《しばい》の中《なか》で生《い》きる喜《よろこ》び〟を知《し》る事《こと》だ
……
…お芝居《しばい》の
中《なか》で…？
そうだ
芝居《しばい》を通《とお》して自分《じぶん》とは違《ちが》う全《まった》く別《べつ》の人間《にんげん》の人生《じんせい》を味《あじ》わえる事《こと》
喜《よろこ》び 怒《いか》り 哀《かな》しみ 感情総《かんじょうすべ》て別人《べつじん》の気持《きも》ちになって感《かん》じられる事《こと》

その楽《たの》しさが わかるように なれば お前《まえ》の
好《す》きな役《もの》しか 受《う》けつけなくて 嫌《きら》いな役《もの》には フタをする 極度《きょくど》の役所《やくどころ》偏食《へんしょく》 症候群《しょうこうぐん》も 治《なお》るはずだ。
ドキィッ
!!??
見《み》つ見抜《みぬ》かれてる!!!
治せなきゃ
受《う》けつけない役《やく》を 演《や》らされて今《いま》までの 好演技《こうえんぎ》が嘘《うそ》の様《よう》な 『大根《だいこん》』役者振《やくしゃぶ》りを 披露《ひろう》する事《こと》だろう
ビクッ
一本 95円
もしくは演《や》り たくないと避《さ》け 続《つづ》け栄養不足《えいようぶそく》で 育《そだ》つものも 育《そだ》たず
干《ひ》からびた カラカラ大根《だいこん》で 終《お》わるに違《ちが》い ない
しおしお
ガーン
わ…っ 私《わたし》は…!! 大根《だいこん》にすら なれない大根《だいこん》 ――!!??
いっっ嫌ぁぁぁぁぁぁあああ
せめて立派な大根がいいイイイイイイ
――恐《おそ》らく お前《まえ》は

芝居《しばい》の本当《ほんとう》の面白《おもしろ》さに
まだ触《ふ》れて
いないだけだ
…一度《いちど》触《ふ》れたら
病《や》みつきになるぞ
楽《たの》しくて
芝居《しばい》が終《お》わる頃《ころ》には
喪失感《そうしつかん》で
〃淋《さび》しい〃と思《おも》う程《ほど》

――……
お前《まえ》は
元々《もともと》 素質《そしつ》は ある人間《ヤツ》だ
それがわかれば
わたしが お前《まえ》に教《おし》えて やれる事《こと》など
お前《まえ》は間違《まちが》いなく 役者《やくしゃ》として大《おお》きく 成長《せいちょう》する
何《なに》も 無《な》いくらいにな
しょお

ぼ〜〜〜〜んんん……
沈鬱
…ふああ〜〜〜……
どうやら夕方《ゆうがた》から『気《き》まぐれロック』録《ど》りだった
…は……——……
——…なんだか…
複雑《ふくざつ》な気分《きぶん》…——…
…だな……
ぽてん
…
…私《わたし》…
今《いま》まで…お芝居《しばい》を楽《たの》しいと思《おも》ってたのは

『役《やく》』を自分《じぶん》の力《チカラ》で
作《つく》って育《そだ》てて
表現《ひょうげん》できてるって事《こと》が
嬉《うれ》しかったからなんだ……
その事《こと》に今日《きょう》…
改《あらた》めて気《き》がついた…
だって
未緒《みお》の時《とき》には
無《な》かったんだもの……
あんな風《ふう》に
嬉《うれ》しくて
勝手《かって》に涙《なみだ》が溢《あふ》れたり
ワクワク
ワンパク坊主《ぼうず》
したり
ドキドキ
したり
それから……

感情総《かんじょうすべ》て
別人《べつじん》の気持《きも》ちに なって感《かん》じられる
感情豊《かんじょうゆた》かな 役《やく》じゃないから
そういう機会《きかい》に 恵《めぐ》まれなかっただけ なのかもしれ ないけど……
でも
だからこそ なんだよね
……
──未緒《みお》は
とにかく芝居《しばい》に 出《で》る事《こと》だ
先生《せんせい》が ああ 言《い》ったのは
どんな役《やく》だろうが
好《す》き嫌《きら》い 言《い》わずにな
たとえ 何度《なんど》か 失敗《しっぱい》しても
いつ どんな役《やく》で 出遭《であ》えるか わからないんだもの
19:25
お芝居《しばい》の
…25分《ふん》か ……
本当《ほんとう》の面白《おもしろ》さ に…──……
そろそろ また呼《よ》ば れるかな…？

――一度《いちど》触《ふ》れたら
病《や》みつきになるぞ
楽《たの》しくて
芝居《しばい》が終《お》わる頃《ころ》には
喪失感《そうしつかん》で
淋《さび》しいと思《おも》う程《ほど》
――…
…あの時《とき》…
役作《やくづく》りはちゃんとできてるって太鼓判《たいこばん》を押《お》されてしまって

本当《ほんとう》にもう『課題《かだい》』は終《お》わってしまうんだと思《おも》ったら
まだ
無性《むしょう》に
淋《さび》しくなった……——
パタン
久遠少年《くおんしょうねん》で居《い》てみたいと
思《おも》ってしまった……——…
——でも
そんな事《こと》…先生《せんせい》には言《い》えなかった……——
…だって…
それがわかれば
お前《まえ》は間違《まちが》いなく役者《やくしゃ》として大《おお》きく成長《せいちょう》する
わたしがお前《まえ》に教《おし》えてやれる事《こと》など
何《なに》も無《な》いくらいにな

言《い》ってしまえば
『生徒《せいと》』としてですら
接点《せってん》を持《も》たせてもらえなくなる
……気《き》がして……――……

コチッ
うろ うろ うろうろ うろ うろ うろ
そわ そわ そわ そわ そわ そわそ
うろ うろ うろ うろ うろ うろ うろ
そわ そわ そわ そわ そ
……
…クー
うっとおしい。
ぷっ
パスッ
精神安定針
はぐぁっ
ちょっと落《お》ちつけ
覚悟《かくご》はできてるんだろうが

…覚悟《かくご》は できていても緊張《きんちょう》はするんだ。
5年《ねん》ぶりなんだから
昼間《ひるま》 会《あ》ったんだろう
だから余計《よけい》に落《お》ちつかないんだ
何《なに》から話《はな》していいかわからない!!
自己紹介はしてしまったしダークムーンの話もしてしまった!!
つかみのカードがもう手元に無い…!!
…心配《しんぱい》せんでも
向《む》こうがいきなり本題《ほんだい》で斬《き》りつけてくるだろうから
嫌《いや》でも会話《かいわ》は成《な》り立《た》つだろう
は
成程《なるほど》
それもそうだっ
ポン
瀕死
〜〜〜…っっ
想像で斬りつけられた傷
全然《ぜんぜん》 覚悟《かくご》できてねーじゃねーかよ
お前《まえ》は本当《ほんとう》にアイツに弱《よわ》いな

……社長《しゃちょう》……
ん
お見《み》えになりました
ピュッ
おお そーか
さすがは無遅刻《むちこく》キングだな
時間通《じかんどお》りだ
おい
クー

ACT.109 そして、動き出したもの／おわり

…昼間《ひるま》の事《こと》で
話《はなし》があって来《き》ました…
スキップ・ビート!
ACT.110 故《ゆえ》に解《と》き、放《はな》たれるもの

…あなた…俺《おれ》の芸能生命《げいのうせいめい》を絶《た》たせたいんですか
…!!
迷惑《めいわく》ですね
おとなしく映画《えいが》の宣伝《せんでん》だけして さっさと帰《かえ》って下《くだ》さいよ。
…って…まぁ さすがにそうは言《い》わんだろうが……
クー致死率95%……
…たとえどんなに頭《あたま》に来《き》てたとしても
蓮《こいつ》だって
元々《もともと》はクーに負《ま》けず劣《おと》らず…

——……昼間《ひるま》の
事《こと》で
話《はなし》があって
来《き》ました
……
……
ん…？

――……ああ……――……
…あの娘《こ》に
『クオン』を演《や》らせていた事《こと》か……？
!!!
ば

コイツ…!!
早々《そうそう》に自《みずか》ら鞘《さや》
抜《ぬ》いちまいや
がった──!!!
さあ
斬れぇえ──!!
早く斬って
楽にして
くれ──!!
緊張《きんちょう》に耐《た》え
切《き》れず血迷《ちまよ》っ
たか!!
…一体《いったい》…
どこまで話《はな》して
あるんです…
彼女《かのじょ》に…
…ん?
彼女《かのじょ》が演《えん》じていたのは
まだ無邪気《むじゃき》で純粋《じゅんすい》な
部分《ぶぶん》を持《も》っていた頃《ころ》の
あなたの息子《むすこ》だ……

あなたは心《こころ》から『クオン』を愛《あい》していたから
日本《にほん》に居《い》る間《あいだ》彼女《かのじょ》に息子《クオン》を演《えん》じてくれと頼《たの》んだのだとしても
世間《せけん》を斜《なな》めに見下《みお》ろして荒《あ》れて荒《すさ》んで可愛《かわい》くなくなった息子《むすこ》より
当時《とうじ》のまだ可愛《かわい》かった頃《ころ》の息子《むすこ》を望《のぞ》む気持《きも》ちはわかります
ー!
けれど…
はっ
ぐいぬぬぬぬぬぬぬ
はちっ
…っ
!!!!

――『愛《あい》していた』
とか
過去形《かこけい》で話《はな》すのは やめてくれないか
私《わたし》は
今《いま》でも 息子《むすこ》を心《こころ》から愛《あい》している
たとえ他人《たにん》から見《み》れば
世間《せけん》を斜《なな》めに見下《みお》ろして荒《あ》れて荒《すさ》んで可愛《かわい》くなくなっていたとしても

わたしにとっては他《ほか》の誰《だれ》にも代《か》わりなどできない
たった一人《ひとり》の
可愛《かわい》い息子《むすこ》なんだ…!!
──…
むっふぁ〜〜…っっ

…気持《きも》ちの悪《わる》い会話《かいわ》だなあ〜〜〜……
さっきから聞いてれば息子息子と三人称で
まるでこの場《ば》にクオン本人《ほんにん》は居合《いあ》わせていないかの様《よう》に……
……え……
……いや…… それはだって…
この容姿《スタイル》の彼《かれ》はあくまでも『敦賀《つるが》 蓮《れん》』という人物《じんぶつ》だから
どんな時《とき》でも他人《たにん》として振《ふ》る舞《ま》う事《こと》を忘《わす》れるなと
社長《ボス》が戒律《かいりつ》作《つく》ったクセに
そうでなければボスと話してる時まで『彼』などと呼ぶものかっ
ここには俺達《おれたち》しか居《い》なくておまけに
外部《がいぶ》への情報《じょうほう》漏《も》れなど一切心配《いっさいしんぱい》無用《むよう》の俺《おれ》のプライベートルームだ
そら外《そと》での話《はなし》だろうが

ここでくらい
普通《ふつう》に
親子《おやこ》の会話《かいわ》すりゃいいだろ
…………………
…し〜〜〜ん…
固《かた》まるな。
二人して
…お前《まえ》だって そのつもりではいたんだろ
自分《じぶん》からクーに会《あ》わせろと言《い》って来《き》たんだから
蓮《れん》
…え…

……あ……
…あ――……
…の…
…すみません……
とにかく昼間《ひるま》の事《こと》ばかりが気《き》になって
…あまり…深《ふか》く考《かんが》えずに出《で》て来《き》たもので……――……
…ふーん…
ちら

…
…まぁ…
まずまず…って状況《トコ》か…———…？
…そういった馴《な》れ合《あ》いには　少《すこ》しブランクがあるから
蓮《れん》が
…そうだな…
どんな理由《りゆう》であれ

『父親《クー》に会《あ》いたい』と思《おも》う気持《きも》ちが重要《じゅうよう》なんだ
…無理《むり》は
しなくていい…――…
――…
…すみません――…
くす…
…バカ
…謝《あやま》らんでもいいって

…わかってるから…────…
…
ああ
それから お前《まえ》が気《き》になってしょうがないという その昼間《ひるま》のアレだが
!
クーさん スペース
別《べつ》にわたしが頼《たの》んでクオンを演《えん》じてなどもらったんじゃないからな
…
お腹へった
ガツガツ
もりもり
はぐはぐもぐもぐ
スパスパ
カチャカチャ
!!!!

アレ・・は彼女《かのじょ》に演技《えんぎ》の特訓《とっくん》として演《や》らせていただけだ
…え…?
新《あたら》しい仕事《ドラマ》の役作《やくづく》りにつまずいて困《こま》り果《は》ててたからな
…え…!?
しかし
その特訓《とっくん》の結果《けっか》 本当《ほんとう》に彼女《かのじょ》がつまずいてるのはもっと根本的《こんぽんてき》な事《こと》だとわかった
どうやら彼女《かのじょ》は
自分《じぶん》の好《す》きな役所《やくどころ》でなければ興味《きょうみ》が持《も》てないし役《やく》に入《はい》り込《こ》む事《こと》もできないらしい

業界稀《ぎょうかいまれ》にみる偏食俳優《へんしょくはいゆう》だ。
まだ俳優なんて呼べるレベルじゃないけどな……
…
彼女《かのじょ》が芝居自体《しばいじたい》の面白《おもしろ》さに目覚《めざ》めたら その偏食《へんしょく》も必《かなら》ず治《なお》ると踏《ふ》んでるんだが
果《は》たしてそれが一体《いったい》いつになるのか…
——…
…自分《じぶん》の好《す》きな役所《やくどころ》じゃなきゃ役《やく》に入《はい》り込《こ》めないって……
そういわれれば未緒はモロストライクゾーンだけど……
呪われた王女
お嬢
……そんな事《こと》言《い》ってたら
お嬢《じょう》さま 済《すみ》
お姫《ひめ》さま
妖精《ようせい》
王子《おうじ》さま
好きら♡
…っ
あと3つしか無《な》いじゃないか……!!
しかもどれも特殊
…けど その欠点《けってん》が克服《こくふく》できりゃ『ほんの一握《ひとにぎ》り』の役者《やくしゃ》になれるんだろう
あの子
ああ
カチャ

ひとたび役《やく》に入《はい》れたら勝手《かって》に『役《やく》』が走《はし》り出《だ》す
怖《こわ》いタイプの役者《やくしゃ》だろうからな……
!
に
…お前《まえ》と同《おな》じだ…
正直《しょうじき》
あの娘《こ》の『クオン』を目《め》の前《まえ》で見《み》て驚《おどろ》かなかったか？
お前《まえ》
え…？

自分《じぶん》と似《に》てるって
まだ可愛《かわい》かった頃《ころ》のな
…っ
………
…ええ…
驚《おどろ》きましたよ……？
この子《こ》…なんで こんな事《こと》知《し》ってるんだろう……って
…どう考《かんが》えても
あなたが彼女《かのじょ》に『クオン』の詳細《しょうさい》を話《はな》してるとしか思《おも》えなかった
…!?
なんだ？クオンの詳細《しょうさい》って
…ですから

あの子《こ》の言動《げんどう》の数々《かずかず》ですよ
俺《おれ》が
子供《こども》の頃《ころ》そうだった様《よう》に
あの子《こ》
社長《しゃちょう》を『ボス』と呼《よ》んだ
とうさんが
あなたをみとめてるから…!!
それから……
……

…お前《まえ》は
わたしをバカにしてるのか……———…?
…
…え…?
社長《ボス》の戒律《かいりつ》を律儀《りちぎ》に守《まも》って
他人《たにん》のふりをするのは何《なん》のためだと思《おも》ってる
…役者《やくしゃ》として…人間《にんげん》として…
お前《まえ》が生《い》きていける場所《ばしょ》を自力《じりき》で確保《かくほ》するために

『敦賀《つるが》 蓮《れん》』として一《いち》からやり直《なお》そうとしてるのを
守《まも》ってやりたいと思《おも》うからだろ…
カチ…
お前《まえ》が役者《やくしゃ》として将来的《しょうらいてき》に成功《せいこう》したと言《い》えるためには
まず
わたしの生《う》まれ育《そだ》ったこの国《くに》で わたしと並《なら》ぶ役者《やくしゃ》にならなければならないはずだ
決《けっ》して
カチン
わたしの息子《むすこ》だという副産物《ふくさんぶつ》が動力源《どうりょくげん》にならない条件下《か》でな
…
…はい…
ギッ…

…そのためには
お前《まえ》とわたしの
関係《かんけい》は誰《だれ》にも
知《し》られてはならない
はずだ
——……はい……——……
…なのに
わたしが
わたしの息子《むすこ》の
詳細《しょうさい》を他人《たにん》に
話《はな》すと思《おも》う
のか…？
どこでどう
お前《まえ》に結《むす》び
つくかもわから
ないのに
…いや…
そりゃ…まあ
演技《えんぎ》の特訓上《とっくんじょう》
クオンの特徴《とくちょう》を一《ひと》つ
だけ教《おし》えてくれと
彼女《かのじょ》に言《い》われて

…こんな事《こと》も言《い》ったのだが…
あの子《こ》はいきなり本物《ほんもの》と違和感《いわかん》の無《な》いクオンを作《つく》って来《き》たんだ
わたしだって驚いた
!!!
ひとつのつもりがついうっかり思うさま
…
しかしさすがに『クオン』が浮《う》き彫《ぼ》りにされると思《おも》わないだろ
ええ…本当に…
おまけにTV局《きょく》でのやり取《と》りに至《いた》っては完全《かんぜん》にあの子《こ》のアドリブだ
…わざと混乱《こんらん》させる様《よう》な事《こと》言《い》ったとしか思《おも》えないですね……
最上さんがちょっと可哀相だ…
それなのに
お前《まえ》と遭遇《そうぐう》するなんて想定《そうてい》してるはずがないからな
…それは…
…
確《たし》かに…
恐《おそ》らくあの子《こ》
『クオン』は役柄的《やくがらてき》に『好《す》き』なんだろうな

だから役作《やくづく》りが完璧《かんぺき》だったんだ…っ
あぁ絶対!!
……
ぶつぶつ
そーなんだよなー役にさえ入れれば男の子の役だってできるんだよあの子
ぢーーー
なんとか治らんものかなー偏食症候群
にったあああああ
つふん
嫌な笑い
……っ
うーんうーん…
ぶつぶつ
そ…っ
そういえば……
ん?
あ
…こいつ強引《ごういん》に話《はな》そらしやがったな
ちっ
つまらん
…あの女《ヒト》は…お元気《げんき》なんですか…?
んー?
どのヒト?

…
あなたの美《うつく》しい奥様《おくさま》にして俺《おれ》の母親《ははおや》ジュリですよ
…?
…え…?

…どうか…したんですか……?
…実《じつ》はな…
今回《こんかい》…わたしが日本《にほん》へ帰《かえ》って来《き》たのには理由《りゆう》があるんだ……
…え…?
…理由《りゆう》って…だって…
確か…
…いや…映画《えいが》の宣伝《せんでん》だけじゃなく
ジュリエナの事《こと》で…
お前《まえ》に頼《たの》みがあって帰《かえ》って来《き》た…
――…

…頼《たの》み…？
…さっきまで…お前《まえ》の『敦賀《つるが》 蓮《れん》』としての立場《たちば》を守《まも》ってやりたいと言《い》っておいて
本当《ほんとう》に済《す》まないと思《おも》ってるんだ…
――…クオン

…一度《いちど》でいい…
五分《ごふん》でいいんだ
わたし達《たち》の
息子《クオン》の姿《すがた》に
戻《もど》ってくれないか——…

…
…何《なに》か…
…あったん…
…ですか…?
……
…この間《あいだ》
ジュリに告白《こくはく》されたんだ……

彼女《かのじょ》は
あと
三《さん》か月《げつ》しか
生《い》きられないと…──…
ACT.110 故に解き、放たれるもの／おわり

SKIP·BEAT! 19
KYOKO AS KUON

スキップ・ビート!
ACT.111 褪《あ》せない想《おも》い

SKIP・BEAT！ 19
LOVE LOVE親子《おやこ》

——余命《よめい》
三《さん》か月《げつ》…——…
…——…
……それ……
…は…

…また…
…ずいぶんとリアルな期間《きかん》ですね……
あまりのリアルさに一瞬本当なのかとあせってしまいました……
…だろう……？
わたしもだよ。彼女に告白された時。
あの女《ヒト》の口《くち》グセ
余命《よめい》○○といえば…
一週間《いっしゅうかん》だったり
一日《いちにち》だったり
果《は》ては三分《さんぷん》だったり……
…それだけ……
冗談《じょうだん》も冗談《じょうだん》に聞《き》こえない程《ほど》
彼女《かのじょ》の気持《きも》ちはもう限界《げんかい》に来《き》てるという事《こと》なんだと思《おも》う……
…無理《むり》も無《な》いだろう……？
自分《じぶん》が仕事《しごと》で家《いえ》を空《あ》けてるその隙《すき》に最愛《さいあい》の息子《むすこ》がいきなり消《き》えて居《い》なくなったんだから

お前《まえ》が悪《わる》い訳《わけ》じゃない…
総《すべ》ては
せめてジュリが帰《かえ》るまで待《ま》ってくれと言《い》ったのに
風《かぜ》の様《よう》に お前《まえ》を連《つ》れ去《さ》った人《ひと》さらいが悪《わる》いのだ。
わたしがジュリに泣かれなじられたのも半年口《くち》きいてもらえなかったのも
…ほほお……
…
今《いま》にも壊《こわ》れてしまいそうな息子《むすこ》が目《め》の前《まえ》に居《い》るというのに
…
…そんな顔《かお》をするな…
自分達《じぶんたち》ではどうしてやる事《こと》もできないと

…泣《な》いて助《たす》けを求《もと》めて来《き》たのはどこのどいつだ。
どうやら人さらい
ミクス…
…いや まぁ…それと コレとは別《べつ》って いうか…
感謝はしてるが!!
ちゃんと社長《ボス》が手順《てじゅん》を踏《ふ》んでくれてたら
『クオンに会《あ》わせて』と発作《ほっさ》の様《よう》に何度《なんど》も日本《にほん》に乱入《らんにゅう》しようとするジュリを押《お》さえ込《こ》むはめになって
泣《な》かれながらわたしは彼女《かのじょ》に
『嫌《きら》い』を連発《れんぱつ》される事《こと》も無《な》かったのに…!!
と思ってても仕方ないだろう!?
ボスにだってわかるはずだっ 愛しい者の『嫌い』がどんなに胸をえぐるか!!
……
むうっ…
—…!

『あなたはいいわ 最後《さいご》にクオンと 会《あ》ってるんだから』 とか言《い》われるんだ
わたしだって別《わか》れを 惜《お》しむ間《ま》も なかったのに!!
…わかった。俺《おれ》が悪《わる》かった。
柿P《カキピー》出《だ》して やるから泣《な》くな バカ者《もの》っ
柿の種 with Pナッツ
ガサ ガサ
パリ パリ
ポリ ポリ
久しぶりの柿Pに ご満悦
…とまあ
そんな訳《わけ》で だな…
今《いま》にもしぼんで 消《き》えそうな瀕死《ひんし》の 顔《かお》したお前《まえ》しか最後《さいご》に 記憶《きおく》してないジュリとしては

……
…気《き》が
進《すす》みませんね……──……
たった数分《すうふん》のために
バカンス中《ちゅう》のMiss《ミス》 JELLY《ジェリー》 WOODS《ウッズ》を呼《よ》びもどすのは

それまでは
たとえ両親《りょうしん》の前《まえ》でも『クオン』の姿《すがた》にはもどらない――…!!
……
――…どうする
…やるんなら
準備させるぞ…

…お前《まえ》の気持《きも》ちを考《かんが》えれば
こんな志半《こころざしなか》ばで『クオン』の姿《すがた》にもどるのは『負《ま》け』を認《みと》めるみたいで気《き》が進《すす》まないだろうから
…断《ことわ》ってくれても
…いいんだぞ
……？
——…オレは
この姿《スタイル》をつらぬき通《とお》します
日本《にほん》の俳優《はいゆう》『敦賀蓮《つるがれん》』として自力《じりき》で母国《アメリカ》に還《かえ》って成功《せいこう》するまで

お前《まえ》が今《いま》ちゃんと本当《ほんとう》に生《い》きて無事《ぶじ》で居《い》るのか　その目《め》で確認《かくにん》したいんだと。
手紙《てがみ》や写真《しゃしん》じゃなく
動《うご》いて喋《しゃべ》るお前《まえ》を見《み》て安心《あんしん》したいと……
もちろん　それは
『敦賀《つるが》蓮《れん》』ではなく
『クオン』の姿《すがた》で
ミカサミ

に
心配《しんぱい》するな
どうせ そろそろ ツレないハワイ男共《おとこども》に 飽《あ》きてる頃《ころ》だ
お前が呼んでるって言ったらスゲー勢いで帰って来るぞ。
あはは…
……
…社長《ボス》…？
…わたしにはよく 話《はな》が見《み》えないいん だが…
ジェリー《ミス》・ウッズとは？
あん？
鈍《にぶ》い奴《やつ》だな
蓮《ソイツ》の顔《かお》見《み》て わからねーか？
数分《すうふん》なら『クオン』に 戻《もど》ってもいいって 言《い》ってんだよ
!!!

JELLY《ジェリー》ってのは俺《おれ》の息《いき》がかかった蓮《れん》の専属《せんぞく》美容師《びようし》で…
聞《き》いてねーな…
やっだぁーん!!
レディ～～!!
わたしは帰れる!!
笑顔でジュリの元へ———!!
ふぅ…
断《ことわ》られたらジュリに一生口《いっしょうくち》をきいてもらえないところだった…!!
つい
つい
…『断《ことわ》ってもいい』っていうのはハッタリだったんですね…
ありがとうクオン
実《じつ》は今回《こんかい》も わたしにくっついて日本《にっぽん》へ来《く》るとジュリはゴネてたんだが
ビデオレターをもらって来《き》てやるからという事《こと》で思《おも》い留《とど》まらせていたんだ!!
映画の共演者でもなんでもないのにジュリが女優業ほったらかしてわたしに同行するのはおかしいだろう!?
…正直《しょうじき》
お前《まえ》は意志《いし》が強《つよ》いから
断《ことわ》られる可能性《かのうせい》の方《ほう》が高《たか》いと覚悟《かくご》していたのだが…
ララ… 本当にホッとした…

――…社長《しゃちょう》に連《つ》れられて家《いえ》を出《で》た時《とき》は…
後《あと》に残《のこ》される両親《ふたり》の気持《きも》ちを考《かんが》える事《こと》ができなかった…
とにかく気持《きも》ちに余裕《よゆう》がなくて…
…でも…
今《いま》は…
俺《おれ》の
メッセージ一《ひと》つで
あの女《ヒト》が安心《あんしん》できるなら

喜《よろこ》んで……――……
……――……クオン……――……

…よっし…!!
んじゃあっ 続《つづ》きは明日《あした》だな…!!
!
蓮《れん》
お前《まえ》 明日《あした》 仕事《しごと》終《お》わったら 速攻《そっこう》でここまで 来《こ》いよ
ちゃちゃっと変身といて ちゃちゃっとビデオ撮っちまうからな
あ… はい
…っ …っ
…ボ…社長《ボス》…っ
それなら わたしも
ドキ ドキ
お前《まえ》は来《く》るな。
スパッ

なっ 何故ッ!!
蓮《れん》が日本人《にほんじん》じゃねーって事《こと》はJ《ジ》E《ェ》L《リ》L《ー》Yも知《し》ってるが
さすがにお前《まえ》との関係《かんけい》は教《おし》えてねーからな
『世《よ》の中《なか》どんな神《かみ》の悪戯《いたずら》があって お前達親子《まえたちおやこ》の関係《かんけい》が他人《たにん》に知《し》れるかわからない』んだろ
(ここ数年のお前のキメゼリフだろーが
今《いま》までずっと大人《おとな》しく待《ま》ってたんだから今回《こんかい》も大人《おとな》しくしてろ!!
〜〜〜〜…つつ
ぬう…っ
それにだ
ジュリはビデオで我慢《がまん》するというのにお前《まえ》だけ生《なま》クオン(100%)に会《あ》うのは不公平《ふこうへい》だろう。
はっ
確《たし》かに!!
それはいけないい
…わかった…
ふう…
ん…
…なら…わたしも本生《ほんなま》クオン(100%)に直接《ちょくせつ》会《あ》うのはジュリと一緒《いっしょ》に…

クオンが自力《じりき》で わたし達《たち》の元《もと》へ帰《かえ》って 来《き》てくれたその時《とき》まで
おあずけにすると しよう……
…て
事《こと》だから…
母親《ジュリ》へのメッセージの ついでに一言《ひとこと》
父親《わたし》にも何《なに》か 入《い》れておいて くれると 嬉《うれ》しいのだが ……？
ミクス…
ミス…
…わかりました ……———……

——この5年間《ねんかん》の
両親《ふたり》への
素直《すなお》な
気持《きも》ちを
飾《かざ》らない言葉《ことば》で
……必《かなら》ず……——……

チュン
チュン
チュン
ブイーーン…
ゴーー…
ザワ
ザワ
ザワ
ザワ
ザワ

NO.3
ぶつ ぶつ ぶつ ぶつ ぶつ ぶつ ぶつ ぶつ
ぶつ ぶつ ぶつ ぶつ ぶつ ぶつ ぶつ ぶつ ぶつ
ぶつ ぶつ ぶつ ぶつ ぶつ ぶつ ぶつ ぶつ
——…
…キョ…

…京子《きょうこ》ちゃん…どうしたの…？
朝から怖いよ…？そんなすみっこで怖い顔してブツブツ何か唱えてるの…？
…あ…
は!
百瀬《ももせ》さん
ペコリ
おはようございますっ
おはよう
ねェ どうかしたの？
怖い顔…
…あ…あの…ちょっと…
すみません…朝っぱらからうっとーしい顔で…
今日《きょう》の段取《だんど》りを考《かんが》えてるとどうしても自然《しぜん》とこんな顔《かお》に…
もういっそ舌をかんで楽になりたいくらいです…
はぁ〜 はぁ〜
…段取《だんど》りって…
そんなにプレッシャー感じてる…？
仕事《しごと》の…？
あ…はい
あ…いえ…
…仕事《しごと》…の様《よう》な個人的事情《こじんてきじじょう》の様《よう》な…
…？
…もしかしたら今日《きょう》は私《わたし》の命日《めいにち》になるかもしれません…
…は…？
あっ
おはようございまーすっ 監督《かんとく》ーっ
敦賀君《つるがくん》入《はい》りましたよーっっ
ぶん!?。

おはよー
おはよー
敦賀君《つるがくん》ーー
おはようございます
おはようございますー
おはようございます
今日《きょう》もよろしくお願《ねが》いします
…おはようございます。
敦賀様《つるがさま》。
ぬ〜〜〜ん
…………
…様…？
…本日《ほんじつ》はお日柄《ひがら》も宜《よろ》しく
とてもウララカなお仕事日和《しごとびより》で気分《きぶん》も一層《いっそう》浮《う》き立《た》ちますね
あいえ……。
ぬぬ〜〜〜んん
死臭
……

大先輩《だいせんぱい》 敦賀様《つるがさま》におかれましては
先日《せんじつ》のわたくしの無礼《ぶれい》な振《ふ》る舞《ま》いの数々《かずかず》に
憤《いきどお》りを感《かん》じずにはいられない事《こと》と思《おも》い…
…
今日《きょう》の好《よ》き日《ひ》に心《こころ》から…
——…無礼《ぶれい》な振《ふ》る舞《ま》いって何《なに》？
…
…は…？
だから
無礼《ぶれい》な振《ふ》る舞《ま》いって何《なん》だっけ？
え…
…ですから…昨日《きのう》…
サンライテレビで…
お会《あ》いした時《とき》…失礼《しつれい》な事《こと》言《い》ったり…
呼《よ》び捨《す》てにしたり…
呼《よ》び捨《す》てって？

どんな風《ふう》に
呼《よ》んだっけ？
遺書
と…
…決行《けっこう》は……
せめてダーク・ムーンの撮影《さつえい》が終《お》わってからでいいですか…？
切腹準備
いそいそ
グズ…
カタン
いや…
困《こま》るから
そして
何故《なぜ》そういう結論《けつろん》に達《たっ》するのかが俺《おれ》にはわからないんだが
こふ…
…
…イビリプレイだと思《おも》われたんだよ……
お前は純粋に芝居抜きで呼ばせてみたかったんだろうが
恐らくはこんなのを期待して
しどろもどろ
え…え…と…レ…レ…ン…？

…っへえ〜〜〜
成程《なるほど》ね〜〜〜
それでクーの息子《むすこ》を演《えん》じてたって訳《わけ》だ〜
意外な真相〜
…
…はい…
一応《いちおう》お芝居《しばい》の最中《さいちゅう》だったのでご説明《せつめい》できなくて……
すみませんでした
…
そりゃ確《たし》かに今年最大《ことしさいだい》のサプライズだったけどね〜〜〜
あ いやいや いいんだよ
———…それで…
…収穫《しゅうかく》はあった？
彼《かれ》の息子《むすこ》を演《えん》じてみて…
…え…
〜〜〜……
あ〜…
〜〜〜……
〜〜〜……
う〜…

…あった…
…ような…
…なかった…
…ような…
———…なんで隠《かく》す…？
…え…？
何《なに》か
隠《かく》さなきゃならない程《ほど》
!!
彼《クー》との間《あいだ》に辛《つら》い事《こと》でもあった？

ぶん ぶんぶん
辛《つら》い理由《りゆう》が無《な》いのなら
ならいいじゃないか
素直《すなお》に言葉《ことば》にすればいい……
……――……君《きみ》は……
『クオン』の気持《きも》ちをつかんでたよな……?
――絶対的《ぜったいてき》な

信頼《しんらい》と
憧《あこが》れと
敬愛《けいあい》を
強《つよ》く
宿《やど》した瞳《め》
……――――……まるで
ミコクン……
自分《じぶん》を
見《み》ている様《よう》だった
――――…

蓮《れん》 お前《まえ》…
ヒーローごっこで父親《ちちおや》に遊《あそ》んでもらったりとかした事《こと》ないのか？
──『ごっこ』なんてしなかった
偽物《にせもの》のヒーローになんか興味《きょうみ》が無《な》かった
クー自慢大噴射
幼《おさな》い頃《ころ》から
父《ちち》が
俺《おれ》のヒーローだった
──それは
私《わたし》っ
絶対《ぜったい》確信《かくしん》もってます!!
久遠少年《くおんしょうねん》って絶対《ぜったい》お父《とう》さん大好《だいす》きでバカがつく程《ほど》お父《とう》さんっ子《こ》だったと!!
クス
そうだね
え～…
キョーコちゃん程《ほど》じゃないんじゃない？
父親《クー》好き
いいえっ 絶対《ぜったい》親《おや》バカ子《こ》バカでラブラブ親子《おやこ》だったはずです!!
クスクス
そうだね
え～～～？
そして
これからも…──…

ACT.111 褪せない想い／おわり

――先生《せんせい》が米国《アメリカ》に
帰《かえ》るまで
あと4日《か》
…ん――…
スキップ・ビート！
ACT.112 父子記念日《おやこきねんび》

よし!! 上出来《じょうでき》!!
せめて日本《にほん》に居《い》られる間《あいだ》 もう少《すこ》し生徒《せいと》として 甘《あま》えてみたいな
な━━んて下心《したごころ》もあって 賄賂《わいろ》作《つく》ってみました〜〜〜〜
あはは〜…
賄賂
〝タルトーニャ ツタココロン〟 抹茶アイス ケーキ (キョーコ命名)
いいよね〜〜 性《しょう》こりもなく 演技指導《えんぎしどう》お願《ねが》い したって〜〜〜
あの事《こと》さえ言《い》わなければ━━……
…一度《いちど》触《ふ》れたら
病《や》みつきになるぞ
楽《たの》しくて
芝居《しばい》が終《お》わる頃《ころ》には
喪失感《そうしつかん》で
〝淋《さみ》しい〟と思《おも》う程《ほど》
…
それがわかれば お前《まえ》は間違《まちが》いなく 役者《やくしゃ》として大《おお》きく 成長《せいちょう》する
〜〜〜〜……

わたしが
お前《まえ》に教《おし》えて
やれる事《こと》など
何《なに》も無《な》いくらい
にな
――……先生《せんせい》……
……私《わたし》……
まだまだダメっ子《こ》
生徒《せいと》で居《い》たいん
です……
あと4日
せめてあと4日
贅沢言わないから
あと4日っっ
……
テンッ
ヅョ
――あ
……明日《あした》……!!??
……ああ……
え……
え!?
確《たし》か
もう少《すこ》し滞在《たいざい》
される予定《よてい》だった
はずじゃ……
休暇も兼ねて
ああ…

そのつもりだったんだが…予定《よてい》が変《か》わってしまってな
もっとクオンを口説《くど》くのに難航《なんこう》すると思《おも》っていたから
映画《えいが》の宣伝《せんでん》ついでに『ちょっと母国《ぼこく》で骨休《ほねやす》め』を口実《こうじつ》に滞在期間《たいざいきかん》を少《すこ》し余計《よけい》に取《と》ってたんだが
目論《もくろ》んでた京都帰《きょうとがえ》りもキャンセルになった
……
意外《いがい》と早《はや》く目的《もくてき》が果《は》たせそうだし
クオンのメッセージを受《う》け取《と》れたら
やはり
ジュリに少《すこ》しでも早《はや》く見《み》せてやりたい…
…
…そう…
…ですか…
それは残念《ざんねん》ですね
……
ああ…
そうだな…
折角《せっかく》 しごき甲斐《がい》のある役者《やくしゃ》の面白卵《おもしろたまご》を見《み》つけたというのに
この手《て》で成長《せいちょう》を促《うなが》せないのは本当《ほんとう》に残念《ざんねん》だ
……

スッ…

…お元気で……

違うっ

ホ… きゅ…

私の心の
お師匠様……

わたしによそって
くれたんだろ!?

ケーキ
ケーキ!!

そわ
そわ

早くしないとっ
溶けて益々
原形が
無く
なってしまう!!

旨いものを旨いうちに
食べるには見た目も
大事なのだ!!

は！

いえ あの これは
私用ので

さっ召し上がれ

先生のはこちら
です!!

ワンホール
贅沢食い

お前 わたしの
食の理想の
スタイルがよく
わかってきたな

ジャキーーーンッ
…
ちらり
…なにも…
ほむほむ
こもこも
鉄板焼きのコテ
綺麗《きれい》なのと取《と》りかえてくれなくても良《よ》かったのに…
キョーコの不細工ケーキはもう胃袋の中
──しかし
お前《まえ》は本当《ほんとう》に何《なに》を作《つく》らせても上手《うま》いよな
え…？
そ…そうですかあ？
てれん
ああ
飯《めし》だけじゃなくおやつまで出来《でき》るとは
お前《まえ》
いいお母《かあ》さんになるぞ〜〜

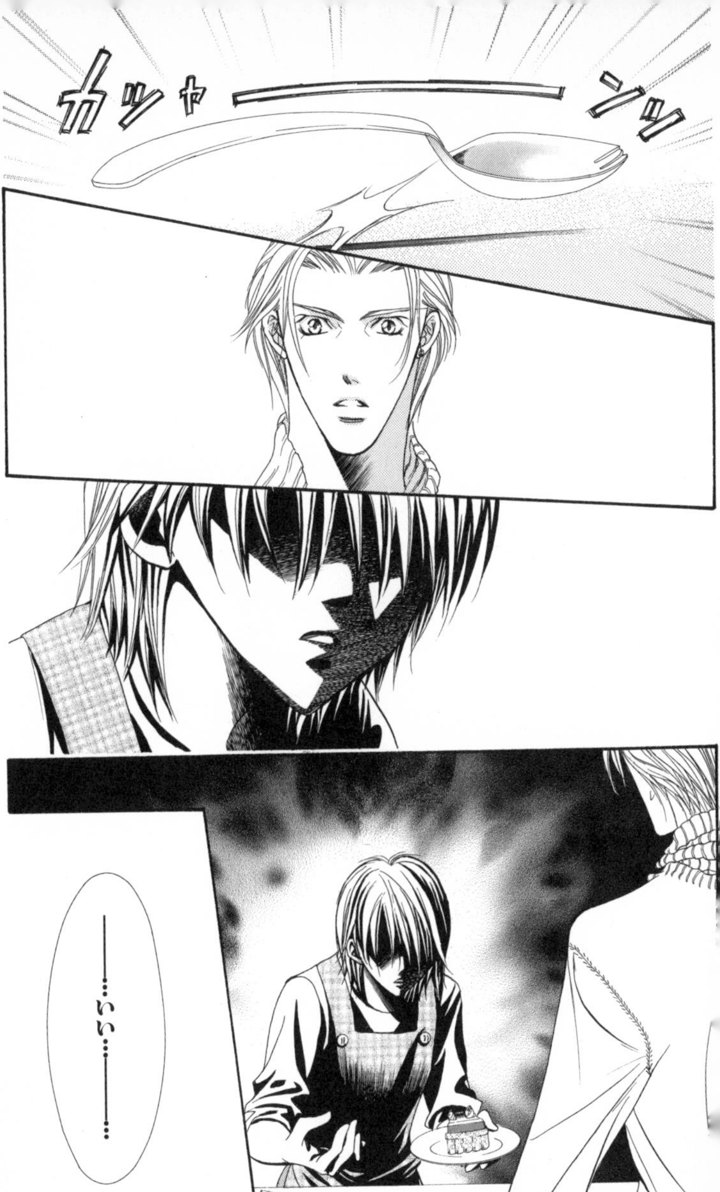
カッャーーーンッ
――…ら…ら――…

…お母《かあ》さんって…
…何《なん》…ですかね……
おどろどろどろ
……っ
タブーな話題《わだい》か……!?
…し…っしまった……っ
こ…これは……っ
………私《わたし》………
…母子《ぼし》…家庭《かてい》なんですけど…
幼《おさな》い頃《ころ》から…
母《はは》との仲《なか》はあまり良《よ》くなくて……
…とりあえず……
子供《こども》に…
ご飯《はん》とおやつやっとけば
…なれるんですかね……
グッマザーに…
…いや…
やっとけばって…
そりゃ…一番大事《いちばんだいじ》なのは愛情《あいじょう》だが
地獄の死霊《しりょう》ボイス→
ビクッ
!?

…一番大事《いちばんだいじ》なのが……
そんなモノなら…
…そ…っ そんなモノ…!?
————…無理《むり》です
…私《わたし》には
…愛《あい》せる
自信《じしん》がありません…————…
親《おや》の愛情《あいじょう》が

どんなものかもわからなければ
…愛情《あいじょう》の
示《しめ》し方《かた》すらわからないのに
……………
…子供《こども》に
手作《てづく》りのご飯《はん》やおやつを作《つく》ってやるのは愛情表現《あいじょうひょうげん》にならないのか…？
…食事《しょくじ》なんて
『世間体《せけんてい》』だけで作《つく》れますから…
…そうですね
………

――……
自分《じぶん》の子供《こども》を幸《しあわ》せにできる自信《じしん》がないなら
…いりません…
私《わたし》は…
…初《はじ》めから………
…そういえば…先生《せんせい》の奥様《おくさま》は……？
…久遠少年《くおんしょうねん》のお母《かあ》さんって事《こと》だよね…？
ん…？
あ…？
…なんか…すごくいいお母《かあ》さんしてそう…
お料理《りょうり》なさるんですか？
ああ

そうだな
忙《いそが》しいわりにはよく作《つく》ってくれる
が…
味《あじ》つけがとても斬新《ざんしん》で神秘的《しんぴてき》なせいか
どうも万人受《ばんにんう》けは良《よ》くないんだよなぁ〜〜〜……
…それは…ひょっとしてマズイっていうんじゃ…
しかし妻《つま》は家族《かぞく》で食事《しょくじ》というのをとても大切《たいせつ》にする女性《じょせい》でね
嫌《いや》がるクオンの口《くち》に息《いき》がつまる程《ほど》ノルマの料理《りょうり》をつめ込《こ》んでたよ…
推定5・6歳
…思《おも》えば食事《しょくじ》というと目《め》に涙《なみだ》を一杯《いっぱい》ためていた…
ゴーモンです!! 先生《せんせい》!!
止めて下さい!!
ぞ…っ
それは…!!
ふ…
…あの子《こ》…
……とても幸《しあわ》せな子供《こども》の顔《かお》をしていたとは思《おも》えない……
ドォ〜〜ン
どろろ…
はっ
!!!
…先生に伝染しちゃった…!!
私《わたし》の心《こころ》の闇《やみ》が!!
はぐあわわっ

——あの頃《ころ》から 徐々《じょじょ》に
成長《せいちょう》と共《とも》に あの子《こ》の顔《かお》から 笑顔《えがお》が消《き》えて いったのは
…わたしのせい ではあるんだが ……——……
…わたしが米国《アメリカ》で 役者《やくしゃ》として 頑張《がんば》れば頑張《がんば》る程《ほど》
あの子《こ》に辛《つら》い思《おも》いを させてしまっていた ……——……
わたしも 妻《つま》も
仕事《しごと》で忙《いそが》し くて…
ずっとそれに 気《き》づいてやれ なかった……
…!?
あの子《こ》が
身動《みうご》きできなくなって しまうまで…——…

…わたしも
妻《つま》も
あの子《こ》を心《こころ》から愛《あい》してるし
幸《しあわ》せにしてやれていると信《しん》じていた…
…しかし…あの子《こ》にとっては
そうじゃなかったかもしれない…——…
——わたしの息子《むすこ》じゃなかつたら

あの子《こ》は
もっと
幸《しあわ》せだったんじゃ
ないだろうか…――…
――そう…
何度《なんど》も
何度《なんど》も
ミパサミ
思《おも》い
続《つづ》けて来《き》た…――…

……
…ギュ…
ちら…
……

〜〜〜〜……
――なら
いいじゃないか
辛《つら》い理由《りゆう》が無《な》いのなら
素直《すなお》に言葉《ことば》にすればいい……
生徒《せいと》じゃ居《い》られなくなるかもしれない事《こと》…………
――……辛《つら》いのは……
……
…だけど…――…

……——……幸《しあわ》せ
だったに決《き》まってるじゃないですか……
もうっ
なんですっ先生のくせにしっかりして下さいよっ
たった数時間《すうじかん》先生《せんせい》の息子《むすこ》だった私《わたし》が幸《しあわ》せだったんですよ!?
ドキドキしたりワクワクしたり泣いて笑ってほっこりなって忙しかったんですからっ
それはもう私《わたし》なんて
『課題《かだい》』が終《お》わると思《おも》うと無性《むしょう》に淋《さび》しくて
『もっと久遠少年《くおんしょうねん》でいてみたい』なんておこがましい事《こと》を思《おも》うくらい

…
…お前《まえ》…──…
…私《わたし》…
気持《きも》ちだけは
ピッタリ久遠少年《くおんしょうねん》とシンクロしてたって自負《じふ》できますよ
だって
役《やく》の気持《きも》ちや言動《げんどう》を瞬時《しゅんじ》に計算《けいさん》してしまう
敦賀《つるが》さんに言《い》われたんですもの

『久遠《くおん》の気持《きも》ちを
つかんでたよな』
って

そう
…なの…か……？
ホントに…ホントか…？お前…だまされてないか？遊ばれてないか？かつがれてないか？？
オロオロ
ドキドキ
私《わたし》は よく敦賀《つるが》さんに騙《だま》されも遊《あそ》ばれもしますけどね
今日《きょう》の敦賀《つるが》さんは真剣《しんけん》でしたよ
…先生《せんせい》…何気《なにげ》にヒドイですね…
先生《せんせい》だって私《わたし》の久遠少年《くおんしょうねん》認《みと》めてくれたくせに…
ウソだったんですから
…確《たし》かに…

…そう――――……
…なのか…
――――…そう…――――…

だったのか…———……
…あ〜あ…
ジュ〜〜ゥ
…言《い》っちゃった…
ペロッ
パサッ
薄焼きたまご
これで『お前《まえ》にはもう教《おし》える事《こと》は何《なに》も無《な》い』とか言《い》ってヒズリ流《りゅう》門下生《もんかせい》をクビになるんだわ……
はかない命だった…
ジョワワワ〜
カチャカチャ
…でも先生《せんせい》の悲《かな》しい顔《かお》見《み》てるの…嫌《や》だったしな…
只今《ただいま》 ちらし寿司《すし》を製作中《せいさくちゅう》
はっ
明日の朝っちらし寿司が食いたい—!!
発作的
とのため
キョーコとは最後《さいご》の一夜《いちや》なのでお手伝《てつだ》い
パタパタ
まぜまぜ
ふむ…
どれ…こっちはひとまずこのくらいで置《お》いといて
チョイチョイ

他《ほか》の具材《ぐざい》を刻《きざ》んでいくかなっ
タタタコ
タコ タコタコタコタコタコ
タケノコと
くるくる
ビクッ
!!??
……っ ……っ
…せ…っ
先生《せんせい》!! 上手《じょうず》!! どうして!!?
ん?。
ははは
言《い》っただろ わたしの妻《つま》は『家族《かぞく》で食事《しょくじ》』を大切《たいせつ》にするって
それが『家庭料理《かていりょうり》』だとなお嬉《うれ》しいと言《い》うものだからな
わたしと彼女《かのじょ》作《つく》れる時《とき》は作《つく》れる方《ほう》が少《すく》なくてもいいから手料理《てりょうり》を用意《ようい》する事《こと》になってるんだ
だから多少腕《たしょううで》に自信《じしん》はあるぞっ
…すごい…
そんなにお料理《りょうり》できるなら
なんで私《わたし》呼《よ》ばれたんですかね今回《こんかい》
お食事係として
はっ
!!!
先生ご自分で作れたんじゃ…
ずっと鷹尾派ごはんだったし
そ…それは休暇《きゅうか》も兼《か》ねてわたしは帰国《きこく》してたからな
お前《まえ》 慰安旅行《いあんりょこう》に行《い》ってまで自炊《じすい》するバカを見《み》た事《こと》あるか?
あ…
成程《なるほど》…
それもそうですね

ミクス…
スッ
スッ
…でも…。
…先生《せんせい》…
お仕事《しごと》でお忙《いそが》しいはずなのに
お料理《りょうり》までこなしてしまうなんて
本当にスゴイ
いい『旦那《だんな》さん』の上《うえ》にいい『お父《とう》さん』
ゴッドファーザーですね
グッドファーザーなら許してやる
わたしはマフィアの首領《ドン》になる気《き》はないからな。
わたしはラブ＆ピースがモットーなんだ
スタスタスタ
ダメですか？
なんだか『世界《せかい》の母《はは》』っぽくて格好《かっこう》良《よ》くありません？
伝説《でんせつ》の父《ちち》って感《かん》じ
残念《ざんねん》だが世界《せかい》に配《くば》れる程《ほど》わたしの愛《あい》は大《おお》きくない
そんな事できるのは社長《ボス》くらいだ
え〜〜？
そんな事《こと》ありませんよぉ
先生《せんせい》
私《わたし》の中《なか》ではもうすっかり『伝説《でんせつ》の父《ちち》』ですよ…？

…
…私《わたし》…
今《いま》までずっと お父《とう》さんが欲《ほ》しい なんて思《おも》った事《こと》
一度《いちど》も無《な》かったんですけど
…先生《せんせい》みたいな お父《とう》さん なら
…欲《ほ》しかった…
…なんて…
…な…

…何《なに》バカな事《こと》言《い》ってんだお前《まえ》は
はっはいっまったく!!すみません!!
わたくしごときが身にあまる夢をはせまして
今更《いまさら》改《あらた》まって言《い》う事《こと》か？
……え…？
わたしはお前《まえ》の〝父《とう》さん〟で
お前《まえ》は父《とう》さんの子《こ》なんだろ？
お前《まえ》は
父《とう》さんの子《こ》だからな
わたしには
親子《おやこ》の縁《えん》を切《き》った覚《おぼ》えは
無《な》いのだが……？

…お前《まえ》はもう
わたしを
父《とう》さんとは
呼《よ》んでくれないのか…？
…だ…ー…

…だって…——……
…いいん…
…ですか…？
私《わたし》…——……
先生《せんせい》に教《おし》えてもらえる事《こと》など もう何一《なにひと》つ無《な》いというのに!!
私っこんなにも大きく立派な役者に成長してしまったですよ!?
ボロボロ
…何様《なにさま》だお前《まえ》…
調子に乗るなド新人
何一《なにひと》つも何《なに》も…っ
わしゃ
わしゃ
ひ〜〜〜〜
教《おし》え込《こ》んでいかねばならない事《こと》なんてお前《まえ》には山積《やまづ》みだろうが………!!
こんなヒドイ問題児野放しにできるかバカッ
——そう言《い》って
いいか愛と家族というのはなっ人間が成長していくためには
一番身近
先生《せんせい》は一杯《いっぱい》何《なに》か怒《おこ》っていたけど
なのに!!子供はいらんとか!!子供の可愛さ知らんうちからそんなさめた目で言うんじゃない!!
お前がまだ子供のくせに!!
ひ〜
私《わたし》は
全然《ぜんぜん》聞《き》いていられる場合《ばあい》ではありませんでした
だって

明日《あした》 米国《アメリカ》へ帰《かえ》ってしまう先生《せんせい》に
改《あらた》めて
呼《よ》びかけるチャンスを頭《あたま》の中《なか》で模索《もさく》するのに精一杯《せいいっぱい》だったから
今度《こんど》は
〝お父《とう》さん〟って

ACT.112 父子記念日／おわり

スキップ・ビート!
ACT.113 5年目《ねんめ》の深層《しんそう》

――イッソ
枯《カ》レテ消《キ》エテ　シマオウカ――
進《すす》む事《こと》も
戻《もど》る事《こと》も
選《えら》べずに
身動《みうご》き出来《でき》なく
なっていた俺《おれ》を
暗《くら》い

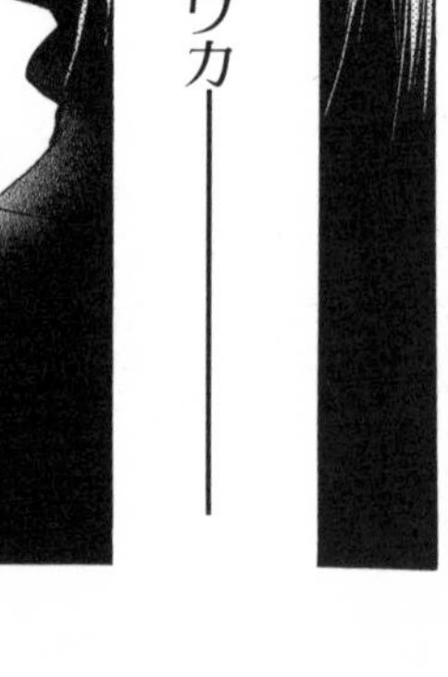

暗《くら》い闇《やみ》の底《そこ》から　連《つ》れ出《だ》してくれたのは
——そこから抜《ぬ》け出《だ》したいか
もし
その気《き》があるんなら
舞台《ぶたい》は
用意《ようい》してやるぞ
社長《しゃちょう》だった

お前《まえ》の素性《すじょう》は一切《いっさい》伏《ふ》せて
別《べつ》の人間《にんげん》になって
父親《ちちおや》の生《う》まれ育《そだ》った国《くに》で
父親《ちちおや》を超《こ》える俳優《はいゆう》になってみろ
無名《むめい》のお前《まえ》が道《みち》を切《き》り拓《ひら》きどこまで登《のぼ》りつめられるか
そして役者《やくしゃ》として再《ふたた》び母国《このくに》の地《ち》を踏《ふ》む事《こと》ができるかどうか
それはお前《まえ》の実力次第《じつりょくしだい》
俺《おれ》は一切《いっさい》仕事《しごと》に関《かん》しては助《たす》けてやらん

……どうだ
…やってみるか
………迷《まよ》わなかった………
社長《しゃちょう》に言《い》われるままに
俺《おれ》は
パスポートだけを持《も》って
家《いえ》を

出《で》た
残《のこ》される
両親《りょうしん》の気持《きも》ちを
考《かんが》える余裕《よゆう》は
無《な》かつた
——必死《ひっし》で
人間《にんげん》として
役者《やくしゃ》として
〝生命《せいめい》〟の再生《さいせい》を
かけた新天地《しんてんち》に
慣《な》れる事《こと》に
〝日本人《にほんじん》〟として
溶《と》け込《こ》む事《こと》に
そして
仕事《しごと》に

とにかく
必死《ひっし》で
〃敦賀蓮《つるがれん》〃として
生《い》きる事《こと》に
こだわるあまり
気《き》がつけば
両親《りょうしん》と
連絡《れんらく》を
絶《た》ったまま
2年《ねん》の
月日《つきひ》が
過《す》ぎていた……──

まあっ
それじゃあ日本《にほん》に来《き》て以来《いらい》今日《きょう》初《はじ》めてご両親《りょうしん》に連絡《れんらく》するの!?
ビデオだけど
まーな
蓮《アイツ》は自分《じぶん》に厳《きび》しい徹底主義者《てっていしゅぎしゃ》だからな
何《なに》を思《おも》って一度《いちど》も連絡《れんらく》しなかったのかなんて聞《き》かんでもわかる
重《おも》い腰《こし》がようやく上《あ》がったという訳《わけ》で
えらいわっ蓮《れん》ちゃん!! 5年《ねん》も一人《ひとり》で淋《さび》しかったでしょうに!!
男の子ね〜
ああ
その辺《へん》は俺《おれ》も感心《かんしん》するところだ
休暇中《きゅうかちゅう》で悪《わる》いとは思《おも》ったんだが最後《さいご》まで手《て》を貸《か》してやってくれ
テン
はいはい
もー
テン 親《した》しい者《もの》だけが呼《よ》ぶ彼女《かのじょ》の愛称《あいしょう》
業界名《ぎょうかいめい》 JELLY《ジェリー》 WOODS《ウッズ》

お客《きゃく》が蓮《れん》ちゃんで
『帰《かえ》って来《こ》い』の命令《めいれい》が
ダーリンじゃなきゃ
絶対《ぜったい》帰《かえ》ってなんか来《こ》なかった
のよ!?
ぷりぷり
ダーリン
ああ
本当《ほんとう》によく
帰《かえ》って来《き》てくれた
ごほうびに
どきっ
あめさん
やろうな
ほい
郷帰《さとがえ》りした
孫《まご》にでも言《い》う様《よう》な
ほめ方《かた》やめて!!
身長
148cm
33歳
ウチの孫《まご》は
アメなんぞじゃ
喜《よろこ》ばんぞ
つたくもー!!
期待《きたい》したのにィ!!
大人《おとな》のごほうび
ちゅーの一《ひと》つもくれて
ほしいものだわ
でもちゃんと
あめさん食べる
ころころ
カサカサ
ガチャ
あら
でもこの包装紙《ほうそうし》
綺麗《きれい》♡
もって帰《かえ》ろ
…おお
終《お》わったのか?

ス…

…はい
〝――親愛《しんあい》なる母《はは》
ジュリ〟
よし んじゃテン 『蓮《れん》』の髪色《かみいろ》に戻《もど》してやってくれ
うっとり…
はっ
え!?
も…っ もう…!?
ああ 用《よう》は済《す》んだからな
〝ずっと心配《しんぱい》をかけさせていた事《こと》
聞《き》きました〟
なにそれ あたし…たかだか15分《ふん》のために呼《よ》び戻《もど》されたの?
信《しん》じらんない!!
ぶつぶつ
ふらふら
お前《まえ》しか頼《たよ》れるヤツが居《い》ないからな……
〝できるなら〟

〝こんなビデオではなく〟
〝会《あ》って　抱《だ》きしめて
謝《あやま》りたい〟
NO――!!
ぷろぶれムよ!!
蓮《れん》ちゃん!!
バッ
謝らないで!!
それにね蓮《れん》ちゃん
〝――心《こころ》から
…いや…しかし…
やっぱりいくらなんでも……
いいの!! いいのよ!! 金《かね》では許《ゆる》せないどんなバカヤローな事《こと》だって愛《あい》があれば許《ゆる》せるものなの!!
だってあたしは金より愛に生きる#!!
かっこ(ダーリン限定だけどもね!!)
頼られてる イコール 愛されてる〜 あたしだけ〜 あたしだけ〜
あはん うふん
テンさんは老け専
…わかりやすい女性《ひと》だ……
あたしは美《うつく》しいモノのためならバカみたいに頑張《がんば》っちゃうプロの美容師《びようし》よ?
ヒロッ
美容師《びようし》がなんで・・・美容師《びようし》って書くか
謝《あやま》りたい〟

それは美《び》には どこまでも寛容《かんよう》だからよ!!
クスクス…
そうなんですか?
それは
知《し》りませんでした
クス クス
〃5年間《ねんかん》
一度《いちど》も連絡《れんらく》しなかった事《こと》にではなく〃
〃貴女《あなた》を
父《ちち》を〃
おい蓮《れん》
もどらねーのか
あ
〃誤解《ごかい》
していた事《こと》に――…〃
…じゃ
もう ちょっと見てたいけど
行《い》こっか
蓮《れん》ちゃん
〃その事《こと》に
今回《こんかい》
ス…
初《はじ》めて気《き》づいた事《こと》に
――…〃

…はい…

——世の中《よなか》どんな神《かみ》の悪戯《いたずら》が
あって お前達親子《まえたちおやこ》の
関係《かんけい》が他人《たにん》に知《し》れるか
わからないんだろ
ここ数年《すうねん》の
お前《まえ》のキメゼリフ
だろーが
今《いま》までずっと大人《おとな》しく
待《ま》ってたんだから
今回《こんかい》も大人《おとな》しく
してろ
〝———…じっと
待《ま》っていてくれた———〟
ちゃんと社長《ボス》が
手順《てじゅん》を踏《ふ》んで
くれてたら
『クオンに会《あ》わせて』と
発作《ほっさ》の様《よう》に何度《なんど》も日本《にほん》に
乱入《らんにゅう》しようとするジュリを
押《お》さえ込《こ》むはめになって
〝会《あ》いたい
衝動《しょうどう》を押《お》し
殺《ころ》して〟
泣《な》かれながら
わたしは彼女《かのじょ》に
『嫌《きら》い』を連発《れんぱつ》
される事《こと》も無《な》かった
のに…!!
〝ただ
ひたすら〟

〝総《すべ》て
息子《おれ》のため…――――…〟
〝なのに
俺《おれ》はそれを
誤解《ごかい》していた――――…〟
〝両親《ふたり》から
一切《いっさい》の
コンタクトが無《な》かった事《こと》を〟

〝自分《じぶん》の
保身《ほしん》のために
自分勝手《じぶんかって》に家《いえ》を出《で》て〟
〝失望《しつぼう》され
見限《みかぎ》られたのかも しれない…
…と————…〟
ぬ
ん

〝勝手《かって》に
敦賀蓮《たにんえん》を演《えん》じ始《はじ》めた
…ありがとう…
社長《ボス》…
息子《おれ》だから〟
──蓮《れん》が来《き》てるぞ
〝──けれど
見送《みおく》りに
そんな俺《おれ》ですら
え？
あなた達《たち》は
…彼・が…？
包《つつ》み込《こ》んで

守《まも》っていてくれた――――〟
ぷ…
お前《まえ》もとことん徹底《てってい》主義《しゅぎ》だな
一度《いちど》面識《めんしき》を持《も》っててもやっぱり蓮《れん》は〝彼《かれ》〟なのか
テレビ局にて
当然《とうぜん》だっ 親《した》しく名《な》を呼《よ》ぶ程《ほど》のやり取《と》りがあった訳《わけ》では無《な》いからな
蓮《れん》の徹底主義《てっていしゅぎ》は間違《まちが》いなくコイツ似《に》だな…
役者魂
『敦賀蓮《つるがれん》とは一切面識《いっさいめんしき》の無《な》い人間《にんげん》だから』
――それが
理由《りゆう》だ…
恐《おそ》らく
両親《こいつら》に
『敦賀蓮《つるがれん》』の時《とき》は他人《たにん》として振《ふ》る舞《ま》えという社長《ボス》の戒律《かいりつ》なんか無《な》くても
彼《かれ》の性格《せいかく》ならそうしてたんじゃないだろうか…
一度《いちど》も連絡《れんらく》しなかったのは――――…
…ああ…
俺《おれ》もそう思《おも》う…

実際《じっさい》 蓮《れん》の徹底《てってい》ぶり見《み》たから俺《おれ》親側《おまえら》に『戒律《かいりつ》』出《だ》したんだし。
ぽろり
5年目の真相
えええええええ!!??
知られざる真実!!
『戒律』は大人《こっち》だけ
当《あた》り前《まえ》だろうっ お前《まえ》らの様《よう》な子煩悩《こぼんのう》二人《ふたり》が俺《おれ》の抑圧無《よくあつな》しに始《はじ》めからじっとなんかしてられるか!!
ぬぅ
悔《くや》しい程《ほど》に何《なに》も言《い》い返《かえ》せん!!
〝――…心《こころ》から
感謝《かんしゃ》します…――…〟
〝二人《ふたり》の
深《ふか》い愛情《あいじょう》に…――…〟

…どうして
敦賀《つるが》さんがここに？
ん？
ああ…
社長命令《しゃちょうめいれい》でね
『DARK MOON』を代表《だいひょう》して出《で》て来《こ》いって
ウソだけど
ああっ
そっか!!
その上《うえ》 敦賀《つるが》さんはTV局《きょく》での面識《めんしき》がありますもんねー
先生とは
…
…信《しん》じた……
『代表《だいひょう》なら私《わたし》でいいんじゃ？』とか疑《うたが》わない所《ところ》が最上《もがみ》さんだな…
…でも…
…そっか…
昨日《きのう》…急《きゅう》に米国《アメリカ》へ帰《かえ》られるって聞《き》いたから
お見送《みおく》り 私《わたし》だけかと思《おも》ってたんですけど……
私《わたし》には
お話《はなし》するチャンスもないかもしれないな…

この分《ぶん》じゃ。
なんですか コレは 何《なに》かのお祭《まつ》りですか
ざわざわ
ざわざわ
ひしめき
わいわい
どよどよ
…あ——……
残念《ざんねん》だわ… 明日《あした》のパーティに来てもらおうと思《おも》ってたのに…
また淋《さび》しくなるわね～
も一 本当《ほんとう》に昨日《きのう》加藤《かとう》さん※から連絡《れんらく》もらった時《とき》はビックリしちゃって……
※情報源・クーが出演した番組司会者
…人望《じんぼう》と人脈《じんみゃく》のなせる技《わざ》だね コレは…
はは…
ぶつぶつぶつ
も——!! これじゃ話《はな》しかけるどころか見《み》つけてももらえないじゃない…!!
ただでさえ先生に言ってないのに!! お見送りしに来るって!!
驚かせたくて!!
彼《かれ》を慕《した》う人間《にんげん》多《おお》いから…
——君《きみ》が呼《よ》びかければ
必《かなら》ず気付《きづ》いてくれると思《おも》うよ…?
この間みたいに

──『父《とう》さん』…
…って…
〝──────…子供《こども》の頃《ころ》の様《よう》に
呼《よ》んでしまうと
わあっっ
これまで張《は》りつめてきたものが
…あ…
切《き》れてしまいそうで〟
〝俺《おれ》には まだ
おお!? 何だお前達まで来てくれたのか──!?
クー!!
わい わい
どやどや
黙って帰る気だったのか? このヤロー!!
昔《むかし》みたいに呼《よ》べないけれど〟
…お…
はくはく
おと…っ
おと…っ
ギクシャク
〝必《かなら》ず
おとおと…っ
ちがうっ

自分《じぶん》の実力《ちから》で
二人《ふたり》の元《もと》へ
帰《かえ》るから〃
〃その時《とき》は
とほほほほぉ……
ふる ふる
ミヤコ やっぱり ……ニフリ
呼《よ》ばせて下《くだ》さい〃
『お父《とう》さん』なんて…想像《そうぞう》してた様《よう》になんか呼《よ》べないよぉ…っ
だって誰にも呼びかけた事なんてないんだもん……
おミフ
おとん…!!
一家にニコはありまんねん?
タコ焼き器
お父ん…
なんとなくナニワのパピー
…お…
〃ちゃんと〃
ミスミ

クー 今度《こんど》はいつ帰《かえ》って来《こ》れるんだ?
ざわざわ
次《つぎ》の映画《えいが》の時《とき》じゃなきゃ帰《かえ》って来《こ》れねーとか?
あぁ~~~…… すまない…
わからないんだ
わいわい
ねークー!! 娘《むすめ》に写真《しゃしん》を頼《たの》まれてるのっ 一枚《いちまい》お願《ねが》いっっ
早く早くっ
ああ はいはい
俺もっ
私もっ
私もっ
私もっ
はいっ チ――…
と――さん…!!

………
…ほ…
…本当《ほんとう》に行《い》った……——…
…お…
おお…
…さわ …さわ さわ さわ…
…な…
なんだ…
アレ…
…ス…

スゴイ色《いろ》のツナギだな…
…って…ツナギ?
なんて この高級《こうきゅう》ホテルに不《ふ》つり合《あ》いな……
危険人物!?
いや…しかし今《いま》
…『父《とう》さん』…って…

…一体《いったい》…
どなたの
娘《むすめ》さん…？
に

ACT.113 5年目の深層／おわり

SECTION
in LME production
スキップ・ビート!
ACT.114 久遠《くおん》の誓《ちか》い

らぶらぶおやこ

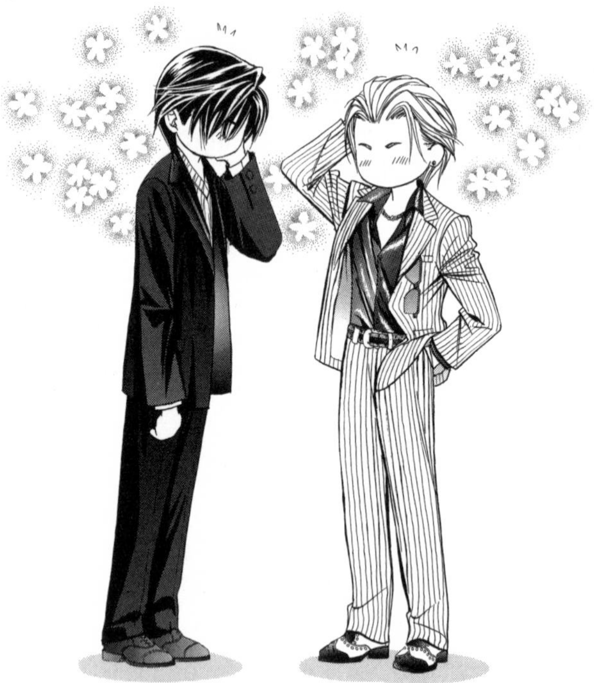

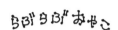

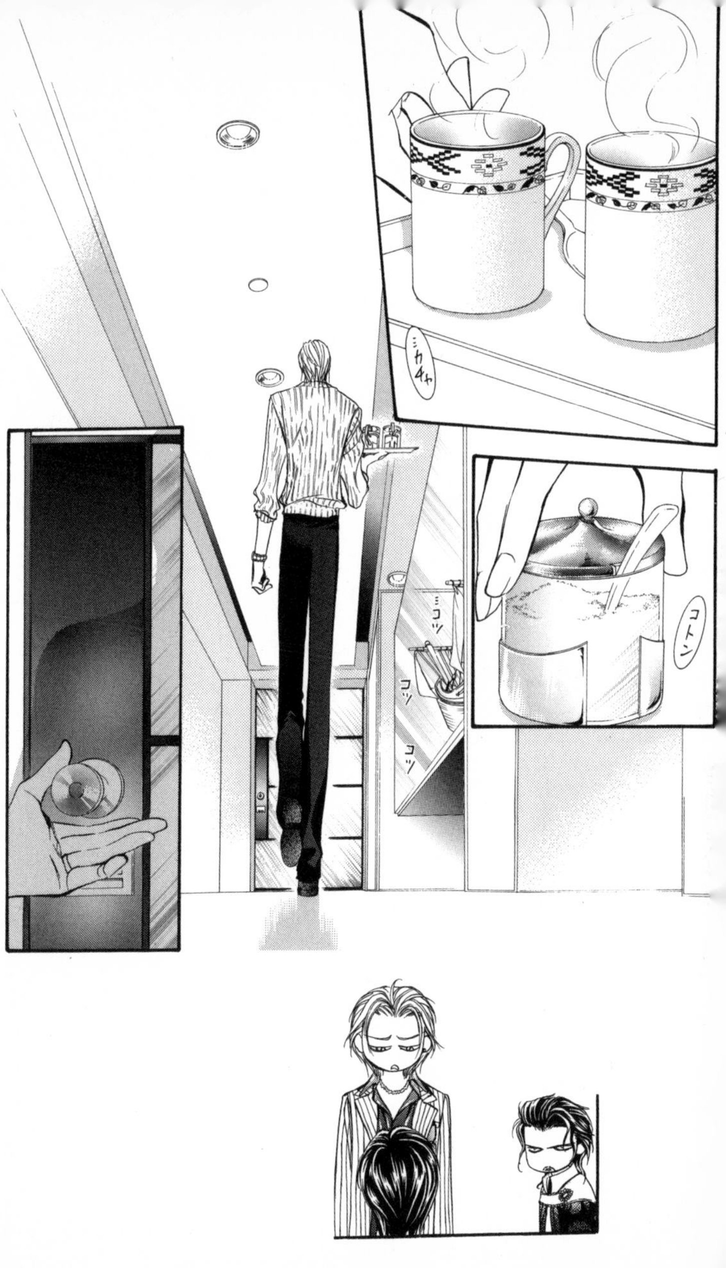
カチャ
コトン
コツ
コツ
コツ

ガチャ…
——心《こころ》から
パタン
感謝《かんしゃ》します…———…
トス
トス
二人《ふたり》の
深《ふか》い愛情《あいじょう》に…———…
グス…
クス…

ぽん
…また
泣《な》いてる…
カチャン
…あなた…
…だって仕方《しかた》ないでしょ
何回見《なんかいみ》たって
感動《かんどう》しちゃうのよ…っ
それは よくわかるよ
クオンは思《おも》ってた
以上《いじょう》に元気《げんき》そう
だし？
そうよっ 顔色《かおいろ》いいしっ
クス クス
…ああ…
——…俺《おれ》にはまだ
昔《むかし》みたいに呼《よ》べ
ないけれど
必《かなら》ず自分《じぶん》の実力《ちから》で
二人《ふたり》の元《もと》へ
帰《かえ》るから
はい
どうぞ
ココア
だよ
ありがとう

その時《とき》は
呼《よ》ばせて下《くだ》さい
コツン
ちゃんと
…また…
ちゃんと呼《よ》んでもらえるのね
『お母《かあ》さん』って…
…あぁ…
いつ
そうなるかしら…
…そう思《おも》う…？
きっと
そう遠《とお》くない未来《みらい》だよ
もちろん
あの子《こ》は努力家《どりょくか》さんだから
ふふ
そうね
…――…
…最後《さいご》に
尊敬《そんけい》する
父《ちち》へ…――

――私《わたし》
気持《きも》ちだけはピッタリ 久遠少年《くおんしょうねん》とシンクロしてたって
自負《じふ》できますよ
――――――…あの娘《こ》…

…本当《ほんとう》にクオンとは気持《きも》ちがシンクロしてるんだなぁ…
…え…？
…シンクロ…？
クオンと何《なに》が………？
…ん…？
クスッ
もう一人《ひとり》のクオンの話《はなし》
え…？
…??
もう一人《ひとり》のクオン…？
…なぁに？それ…
…ジュリ…

実《じつ》はね
わたしには もう一人《ひとり》
日本《にほん》に
息子《むすこ》ができたんだ

SECTION
ME
inL.M.Eproduction

…クオン…？
…さわ…っ
さわ さわ どよ どよ
…クオンって…
確《たし》かクーの息子《むすこ》の名前《なまえ》が『クオン』じゃなかったか……？
そうだ
そうそうっ
すごい奥《おく》さん似《に》の女《おんな》の子《こ》みたいに可愛《かわい》い男《おとこ》の子《こ》!!
昔《むかし》クーにもらった家族写真付《かぞくしゃしんつ》き年賀状《ねんがじょう》のちっちゃい頃《ころ》のクオン君《くん》しか知《し》らないけど
直《じか》に会《あ》ってみたいわね〜〜〜〜
…！
敦賀蓮
世間からの賞賛はどちらかというと男前
あの子《こ》今《いま》絶対《ぜったい》美人《びじん》に育《そだ》ってるわよね〜〜〜
ふあ〜〜〜〜〜
ちょっと〜
うんうんっ男前《おとこまえ》ってよりは美人《びじん》っね!!

でもどうして その『クオン君《くん》』が あの女《おんな》の子《こ》なの？
さわ さわ
…あの子《こ》… クーとどういう 関係《かんけい》？
………
…まぁ… その辺《へん》は後《あと》で あの人《ひと》クー が そつなく説明《せつめい》しといて くれるだろう…
とうさん

…ん…？
…オレ…

やってみるから…
…うん…?
「イジメ」やく
!
…ああっ
しょうじきなキモチはね
ホントは やっぱりオレ『イジメ』やくなんてキライだよ
でも
にげないって
きめたんだ

いろんなパターンの『イジメ』やくなんて
オレに うまくできるかどうかわからないけど
コレは
オレが
ホンモノのヤクシャになるための
シレンだとおもうから…!!

ゼンリョクで
たたかう…!!
じぶんのかのうせいを
しんじて…!!
…よし
よく決心《けっしん》した
それでこそ

グッ
わたしの子《こ》だ!!

――……それが
どういう意味《いみ》なのか
彼《かれ》の
行動《こうどう》の真意《しんい》も
複雑《ふくざつ》そうな
笑顔《えがお》の理由《りゆう》も

あの時《とき》のわたしには
わからなかったが……――――……
…ふ〜〜〜〜〜ん…
本当《ほんとう》ね すごいわ その子《こ》…っ
女《おんな》の子《こ》なのに
本当《ほんとう》にクオンの分身《ぶんしん》みたいっ
私《わたし》も一度《いちど》会《あ》ってみたいわっ
きっと会《あ》えるよ
いつでも遊《あそ》びにおいでって言《い》ってあるから
役者《やくしゃ》としても人間《にんげん》としても
すごく興味深《きょうみぶか》い
本当《ほんとう》？
…ああ

それは楽《たの》しみねっ
………
…いいの…？
当《あ》たり前《まえ》だ
子《こ》が親《おや》の元《もと》へ来《く》るのにいいも悪《わる》いも無《な》い
いつでも好《す》きな時《とき》に遊《あそ》びにおいで
ご馳走《ちそう》をたくさん用意《ようい》して待《ま》っててあげるよ
………っ………っ………っ
…うん…!!
……
…ところでそれなんだが…
わたしの子《こ》として振《ふ》る舞《ま》うのに何《なに》もわざわざクオンになる必要《ひつよう》は無《な》いんだぞ？

ピッ
キーーーンッ
固い笑顔
正座
…
お
おお…っ
…おと…っ
ギクシャクッ
カパカパ
お…ッ
カパカパ
お…っ
腹話術人形
おとつつぁま…っ
ああああはああああんっ
とほほほほ
…よし わかった… 慣《な》れるまで クオンでいい。
……っ
『おとつつぁま』って ……っ
本当《ほんとう》はどう呼《よ》びたかったんだか
おとっつぁん？ お父様？
子供《こども》の頃《ころ》の様《よう》に呼《よ》んでしまうと
切《き》れてしまいそうで
これまで張《は》りつめてきたものが
また見てる
夢中
楽《たの》しみだな…
あの娘《こ》が自分《じぶん》の言葉《ことば》でわたしを呼《よ》んでくれるのが
俺《おれ》にはまだ
いつになるのか…
昔《むかし》みたいに呼《よ》べないけれど

必《かなら》ず自分《じぶん》の実力《ちから》で二人《ふたり》の元《もと》へ帰《かえ》るから
——役者《やくしゃ》としても
その時《とき》は呼《よ》ばせて下《くだ》さい
人間《にんげん》としても
ちゃんと
成長《せいちょう》が
楽《たの》しみだ
本当《ほんとう》に
——最後《さいご》に

尊敬《そんけい》する
父《ちち》へ……——……
わたしの
子供達《こどもたち》は……——……
決《き》めたのか
……——……
決《き》めたんだ

はい
うん
実《じつ》は
今度《こんど》 仕事《しごと》で
冷酷《れいこく》な殺人犯《さつじんはん》を演《や》る事《こと》になりました
…
…俺《おれ》は…
…何《なに》があっても助《たす》けてやらんぞ……!!
…

わかってます…
———正直《しょうじき》
できれば一生《いっしょう》演《や》りたくない役《やく》で
悩《なや》みましたけど
…それだけ
…
…いいか………
…まぁ…
お前《まえ》が強《つよ》くなったって事《こと》なんだ……——…
——もう
逃《に》げないと

決《き》めたんです――――…
…
…バカね。
だからあんたって所帯臭《しょたいくさ》さが抜《ぬ》けないのよ!!
も――!!
苦労するってわかりきってる道選ぶなんて!!
いいの!?
所帯臭《しょたいくさ》い上《うえ》に悪役《あくやく》イメージつくのよ!?
え〜〜〜?
所帯臭いは世間様まだご存知ないと…
う〜〜ん…
悪役《あくやく》イメージは喜《よろこ》ばしくないけど…
これもいわゆる修業《しゅぎょう》かな〜〜って…
えへへ…
それに悪役《あくやく》イメージがついちゃうくらいいつも印象《いんしょう》に残《のこ》る演技《えんぎ》ができるとも限《かぎ》らないし
…ああ
…それもそうね。
さらり
イジメ役のバリエーションなんてそんなにないしすぐあきられるか。
…
――――人《ひと》を
傷《きず》つける…――――…

たとえ演技《えんぎ》とはいえ
それが
演《や》り通《とお》せるかどうかは
……
ま…
今《いま》のお前《まえ》がそう決《き》めたんなら…
賭《か》けですけど
私《わたし》にとやかく言《い》う権利《けんり》はないわよね
ムキになって
…わかったわ…
ふーっ
…あんたが思《おも》うままの事《こと》を
俺《おれ》が
これは
乗《の》り越《こ》えなければならない

神《かみ》に与《あた》えられた
…やってみろ
試練《しれん》だと思《おも》うから
全力《ぜんりょく》で
戦《たたか》います

自分《じぶん》の
可能性《かのうせい》を信《しん》じて…———…
グ…

ACT.114 久遠の誓い／おわり

《収録作品メモ》
●ACT.109　そして、動き出したもの　平成19年　花とゆめ16号掲載
●ACT.110　故に解き、放たれるもの　平成19年　花とゆめ17号掲載
●ACT.111　褪せない想い　平成19年　花とゆめ20号掲載
●ACT.112　父子記念日　平成19年　花とゆめ21号掲載
●ACT.113　5年目の深層　平成19年　花とゆめ22号掲載
●ACT.114　久遠の誓い　平成19年　花とゆめ24号掲載

花とゆめCOMICS
スキップ・ビート！⑲

2008年7月25日　第1刷発行

著者　仲村佳樹

発行人　内山晴人
発行所　株式会社　白泉社
〒101-0063
東京都千代田区神田淡路町2－2－2
電話・編集 03(3526)8025
販売 03(3526)8010
制作 03(3526)8020
印刷所　共同印刷株式会社

ISBN978-4-592-17839-2
Printed in Japan HAKUSENSHA